郑栗儿/著
高莺雪/绘

大师密码 A-Z系列

大师密码F

连石头都点头

人民东方出版传媒
People's Oriental Publishing & Media
東方出版社
The Oriental Press

图书在版编目（CIP）数据

大师密码 . F, 连石头都点头 / 郑栗儿著；高莺雪绘 . —北京：东方出版社，2015.10

ISBN 978-7-5060-8698-1

Ⅰ. ①大… Ⅱ. ①郑… ②高… Ⅲ. ①儿童故事—作品集—中国—当代 Ⅳ. ① I287.5

中国版本图书馆 CIP 数据核字（2015）第 259159 号

大师密码 F：连石头都点头
（DASHI MIMA F: LIAN SHITOU DOU DIANTOU）

作　　者：郑栗儿
绘　　者：高莺雪
产品经理：张媛媛
责任编辑：张媛媛
出　　版：东方出版社
发　　行：人民东方出版传媒有限公司
地　　址：北京市东城区朝阳门内大街 166 号
邮政编码：100706
印　　刷：小森印刷（北京）有限公司
版　　次：2016 年 3 月第 1 版
印　　次：2016 年 3 月第 1 次印刷
印　　数：1—5 000 册
开　　本：720 毫米 ×950 毫米　1/16
印　　张：4
字　　数：36 千字
书　　号：ISBN 978-7-5060-8698-1
定　　价：18.00 元
发行电话：（010）64258117 64258115　64258112

目　录

出版前言

每个父母都希望孩子未来能出类拔萃，并在孩子的教育问题上倾尽心力。

许多孩子长大后成熟乐观，在社会上如鱼得水，但不少人成年后并不快乐。他们即使地位显赫、经济条件优越，依然郁郁寡欢。带来快乐的因素有很多，其中起决定作用的则是人格。面对同样的问题，不同的人格往往造就不同的结果。

怎样才能培养健全的人格？我们不妨到传统文化中去寻找答案。几千年来，儒、道、佛相得益彰，共同塑造着国人的精神世界。儒家关切社会的治理，道家关怀生命自然状态的保持，而佛家则关心人生痛苦的解除。故此，历史上就有“儒家治世、道家治身、佛家治心”的说法。

今天很多人习惯于将佛教简单理解为一种宗教，有的人甚至认为它是封建迷信。如果去掉宗教的外衣，它其实是一座充满智慧，兼具心理、品德教育功能的文化宝库。

为此，我们从台湾引进了这套“大师密码”A–Z 系列。这套书以 130 个佛教大师的成长故事，体现了 130 个美好的人格特质。沉着、孝顺、无畏、远见……从这些有趣的故事里，孩子们不但可以学会如何获得成功，更能明白如何倾听内心的声音，获得快乐。

这套书结构编排巧妙，集合了台湾优秀的作家及插画师。书中故事生动活泼，插画精美，在台湾广受好评，曾获得台湾“第 27 次中小学生优良课外读物推介”。相信它同样会得到大陆青少年朋友的喜爱。

推荐序

大师的密码　成功的特质

在我还是青少年时，就很喜欢阅读佛教大师的传记故事。可以说，我的人格就是从阅读大师的史传故事，点点滴滴建立起来的。

不论大人、小孩都喜欢读故事，法鼓文化历时两年的筹备，制作了这套有丰富精美插画的“大师密码”A–Z 系列。这套书中，选出 130 个“大师的美好特质”，一个特质就是一个大师故事，让孩子在趣味的故事中自然吸收大师的养分。

我曾指出佛教的高僧必须具有四大条件：持戒清净、修行精进、慈悲济众与护持佛法；如果转换成现代人的语汇，就是自律、认真、宽大、懂得回馈，而这些正是所有成功人士必备的条件。

很多家长以为孩子学佛会变得消极、不具竞争力；如果从大师的四大条件来看，这样的想法完全错误！孩子接触佛法绝对会更积极、健康，能为他们的一生奠定稳固的基础。

大师们的成就绝非偶然，也没有人一出生就是大师，父母应该提供这样的环境，让人格正在成长形塑中的孩子，吸收历代大师们的生命菁华，转化为他们自己的。我相信这一套“大师密码”A–Z 系列，能够成为孩子们成长的助缘！

聖嚴
台湾法鼓山禅修文教体系创办人

佛陀接班人

大师密码 Faithful 忠诚

出身于富贵之家的迦叶，却不爱享受奢华的生活，而且还想修苦行。他的父母以为让他结婚可以有所改变，想不到后来夫妻都双双随佛陀出家了。迦叶除了深受佛陀的信赖，也因为清净的苦行生活，被尊为“头陀第一”。

佛陀座下的优秀弟子不计其数，迦叶为什么能成为佛陀的接班人？曾经佛陀在一场演讲会上，手中拿着一朵花不发一语，会场没有人知道佛陀究竟是什么意思，只有迦叶一人微笑，因为他领会了佛陀的心意，佛陀因此将传承佛法的重责大任交托给他。佛陀去世后，迦叶果然没有让佛陀失望，他召集了第一次经典结集，让佛陀的佛法能流传后世，真是能与佛陀心心相印！

小档案 迦叶

- 国籍：印度
- 尊称：佛陀十大弟子头陀第一
- 专长：禅修
- 影响：佛陀去世后，召集第一次经典结集
- 事迹：品德高洁，坚定头陀行

在葱郁的印度热带雨林里，雨季最后一滴潮湿扰人的雨已经下完。大象漫步而过，简陋的修行房舍四周，充满着僻静的闲寂气氛。一名穿着粗衣的修行者，正安适地静坐，犹如风中洁雅的石像，不随时间的流逝所动。

这就是佛陀时代最伟大的苦行者❶——原名“毕钵罗耶那”的大迦叶❷尊者，雨林中最清净的修行者。

❶ **苦行者**：用苦行的方式进行修行的人，也借指为达到某种目标而甘愿受苦的人。

❷ **大迦叶**：迦叶尊者全名“摩诃迦叶”，“摩诃”是“大”的意思。

他生在一棵巨大的毕钵罗树下，毕钵罗耶那就是“树下生”的意思。他的父母对于这唯一的孩子疼爱有加，就算他吵着要天上的星星，身为摩揭陀国的贵族、财富足以媲美国王的父亲，也会想尽办法帮他达成愿望。

但毕钵罗耶那不是被宠坏的无理小孩儿，相反，他从小就讨厌人世间的欢娱，也没有追求物质享乐的欲望，喜欢安安静静一个人不被打扰。当他完成所有贵族的教育时，已经是一个非常卓越的修行者了。

可是，他的父母却急着为他张罗婚事，毕钵罗耶那不同意：“我希望能清净地修道。”

拗不过父母的心意，他请人雕塑了一尊黄金女神像，对父母说：“真要娶妻的话，请你们找到像这金像一般的女人，我才愿意。”其实他并不是真的喜欢美女，只是想借此让父母打消这个念头。

谁知世界上竟然真有一名美丽的女子和这金像长得一模一样，她就是住在北方毗舍离城外村落的妙贤，同样是贵族出身。燃火节那天，她和同伴一起去朝拜这座黄金女神像，没想到，自己却成了被毕钵罗耶那的家人找寻的对象。

毕钵罗耶那知道金像美女被找到后，一想到自己难逃结婚的命运，便快快不乐；同样的，妙贤也是眉头深锁。原来两个人都不喜欢结婚，都想过清净无欲的修道生活。但迫于父母的安排，只好照着做。当两人成亲后，便说好不同床共眠，相约一起修道。

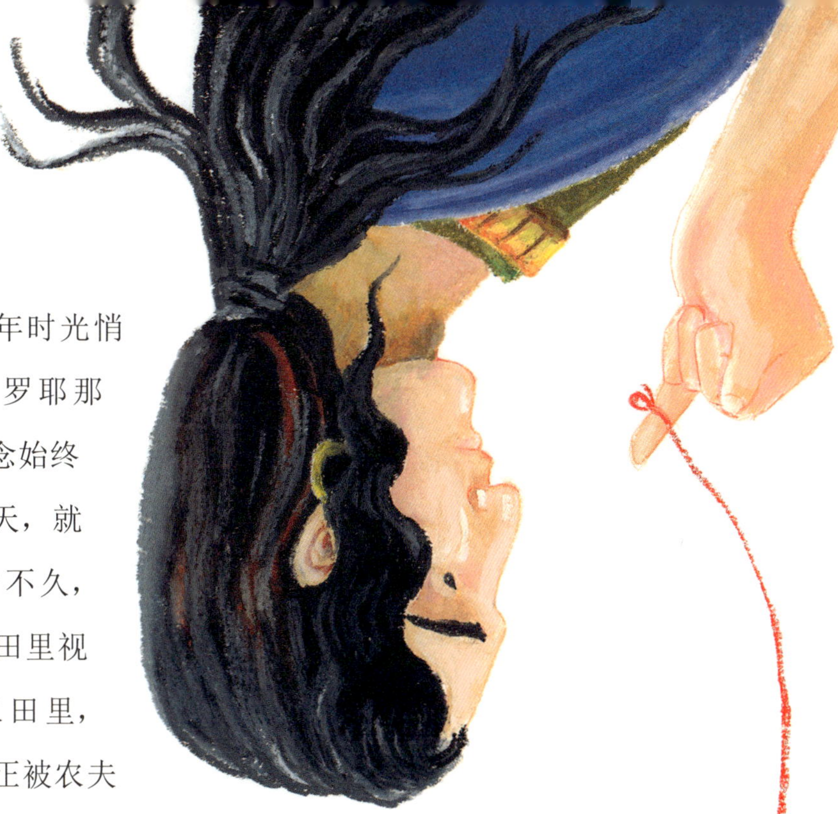

如此十二年时光悄然流逝，毕钵罗耶那想要修道的信念始终没有变。有一天，就在父母过世后不久，毕钵罗耶那到田里视察。漾漾的水田里，有许多小生命正被农夫的锄头、耕牛的脚蹄所伤，而农夫和耕牛的情况也好不到哪里去，两者辛苦地在烈日下挥汗工作，累得喘不过气来。毕钵罗耶那忍不住沮丧地自问：“仅仅为了吃一口饭，需要让人畜受这样的痛苦吗？其实大部分都只是为了满足人类的奢华。”

正好，妙贤今天的心情也不太好，原来她也为了女仆榨胡麻油，压死胡麻中众多小虫而感到难过不已。夫妻俩谈起今天的遭遇，更加感慨世间的忧苦，毕钵罗耶那对妙贤说：“不如我先出家求访名师，再来接你同行。”妙贤欣然答应了。

于是，毕钵罗耶那以他的姓“迦叶”为名，离家求道去了。当他的脚步在荒野迈开的这一晚，也是佛陀坐在菩提树下夜睹明星开悟的时刻。冥冥中的因缘，把他带到了佛陀身边，两年后他到竹林精舍听佛陀说法，即被佛陀的智慧深深打动，并追随佛陀一起修道。

迦叶未出家前原本就已经在修行了，出家后更加用功，很快他就得到了证悟。他开悟后，随侍在佛陀身边。有一天，佛陀要在树林里休息片刻，为了让佛陀能坐得更舒适一点儿，迦叶毫不吝惜地将身上的一件上好僧衣脱掉，铺成一个坐垫后，再让佛陀坐下。

佛陀称赞他的细心说:“你的僧衣真是柔软舒服。”

迦叶回答:“如果佛陀不嫌弃的话，可以送给您。”

佛陀为了鼓励迦叶，提议道:“那我把我的粗衣跟你这件华丽的僧服交换，可以吗?”原来，在修道的过程中，不管是穿着粗衣或是华丽的僧服，都可以得到同样的证悟。佛陀希望能借此让迦叶完全脱离荣华富贵的过去，更清净地修道。

迦叶一听，喜出望外:“这是弟子的荣幸，非常感谢您。”他小心地接过佛陀的粗衣。穿上佛陀粗衣后的迦叶，从此完全告别了富裕的过去，专心地修习苦行，像托钵乞食、日进一餐、住在远离人烟的空旷地方、常坐树下思维等，过着更清净的生活。当然，他没忘记让妙贤也能够出家的诺言。

时光荏苒，在一日日的静坐中，年轻的迦叶变成了老朽的大迦叶，要继续过这种风吹日晒的苦行日子，连佛陀都于心不忍了。

有一天，佛陀在舍卫国祇树给孤独园说法时，众僧正倾听着经语，只见一位衣着灰旧的简朴老僧，手托一只破钵，一言不发地侧身到人群中，他全身散发着安静的气息。其他人看见这位其貌不扬的老者，都以为是哪儿冒出来的外地僧人，纷纷露出不屑一顾的神情。

佛陀当然也看见了这位老僧，知道众人心中正在想什么。他伸出双手，热情地召唤他：“你来了！迦叶，到我这里来，我留了半个座位，特别要分给你坐的！”

众人都吓了一跳，原来这就是僧团中最受人敬重的头陀[3]尊者，真是有眼不识泰山。而佛陀竟如此礼遇他，还要分半个座位给他，可见迦叶的德行多么高尚。

迦叶走到佛陀面前，向他顶礼下跪，然后退到后方："您是我尊敬的老师，我怎么敢跟您平起平坐呢？"

佛陀微笑着转而对大家说："我所具有的证悟境界，迦叶尊者也同样具备。所以，你们一定要敬他如我！"

[3] **头陀**：原意是印度僧人不住寺院，住在林间树下，弃除对食、衣、住、行种种贪念的一种苦行。

之后，佛陀还体贴地对迦叶提出，希望年事已高的他结束苦行，回到僧团养老，不要过度劳累。

迦叶当然明白佛陀这番体恤的心意，但他委婉地解释：“佛陀，对我来说，头陀的苦行是一件快乐的事，不会劳累。我是为了忠诚于佛陀的信念，才过着苦行生活，而且清净无欲也是僧团的巩固之本啊！”

有这样对佛法忠诚的弟子，难怪佛陀这么敬重他。而处事严谨的迦叶，也因为那份对于佛法的忠诚，成为佛陀去世后僧团最佳的接班人。

“忍”出一身好本领

大师密码 Forbearance 容忍

“菩提本无树，明镜亦非台。本来无一物，何处惹尘埃！”这首禅宗历史上最著名的诗偈，竟然出自目不识丁的年轻小伙子口中，真是让人刮目相看！

这首诗偈的作者为禅宗六祖惠能，原本因家中贫困，在中国广东以卖柴为生，后来北上追随禅宗五祖弘忍学禅。他很快领悟了佛法，深得五祖的赏识，认定他是继承禅宗的不二人选。但惠能继承五祖衣钵后，反而引起了一阵衣钵争夺，他只好藏身猎人队十五年，直到机会成熟，才出来说法普度众生。

在中国佛教的发展史上，惠能所倡导的顿悟法门具有最重要的影响力，是佛教中国化的关键。禅法能够在中国生根、壮大，展现出自己的特色，惠能功不可没！

小档案 惠能

- 国籍：中国
- 谥号：大鉴禅师
- 专长：禅修
- 影响：为佛教中国化的关键性人物，开创禅宗南宗，传扬顿悟法门
- 事迹：藏身猎人队十五年

岭南新州市镇上，此起彼伏的叫卖声不断。年轻樵夫惠能挑着一担柴送到旅店去交给顾客，耳际忽闻奇特的朗读声，原来是门外一名旅人正在诵经。

惠能凝神细听那微妙之音，经语如花雨般绽放，落在怦然的心间。他不禁赞叹：“真是美丽的境界！”并忙问那旅人：“请问你诵的是什么经？”

旅人回答：“《金刚经》❶。”

“你从哪里得来的这部经呢？”

“从蕲州黄梅县的东山寺得来的，住持五祖弘忍大师在那里弘化多年，常劝人要修持《金刚经》，就能明心见性、了悟成佛。”

惠能心想：“我这不识字的穷人家，也能读这部经成佛吗？”

他满心欢喜地回到家，得到了相依为命的老母亲同意，再把母亲的生活安置妥当后，便立刻动身北上到黄梅县参拜弘忍大师。

❶**《金刚经》**：透过佛陀与须菩提的对话，将佛法的空观做最透彻的阐释，是中国禅宗特别重视的一部经典。

历经二十多天荒山野岭的长途跋涉，惠能抵达东山寺去见五祖弘忍，一看是位相貌庄严的老僧，只见他也正神色严肃地打量着看起来毫不起眼的自己。

五祖一开口劈头就问："你是哪里人？来这里求什么？"

惠能恭敬地回答："我是岭南新州人，来这里礼拜禅师，只求成佛，不求其他。"

"你这来自蛮荒之地未开化的岭南蛮人，怎能成佛？"

"人有南北之分，佛性并没有南北之分，蛮人的身体虽然与和尚不同，但佛性有什么差别？"

五祖一听颇为震惊，知道此人悟性甚高，但见徒弟们都围在身旁，怕过度称赞他会害他遭到嫉妒，只好先不动声色，不再多话，只叫他跟着大家去打杂。

惠能又说："只要不离开自己的本性，就是一片清明、没有杂乱，不知道您教我打什么杂？"

"你这个蛮人，根器太利了！不用多说了，到后院去！"五祖还故意这么说道。

随后惠能便在后院干起活儿来，他既没有到法堂听法，也没有再向五祖请益，只是每天从早到晚辛勤地劈柴、舂米，却一点儿也不以为苦。他知道五祖这样待他，一定是想通过这些粗活儿来磨炼他的心性。

果然有一天，五祖突然出现在后院：“我知道你的见解很不错，那些在这里学佛很久的人，都没有你这么高的悟性，我怕他们会排挤你，才不跟你说话。”惠能感动地说：“弟子明白师父的用意，所以也不敢出现在法堂里。”

惠能十分沉得住气，耐得住寂寞，如今五祖的鼓励使他更加卖力地工作。不过，昼夜不息地默默做这些粗活儿可不容易，需要极大的耐力才可以承担。

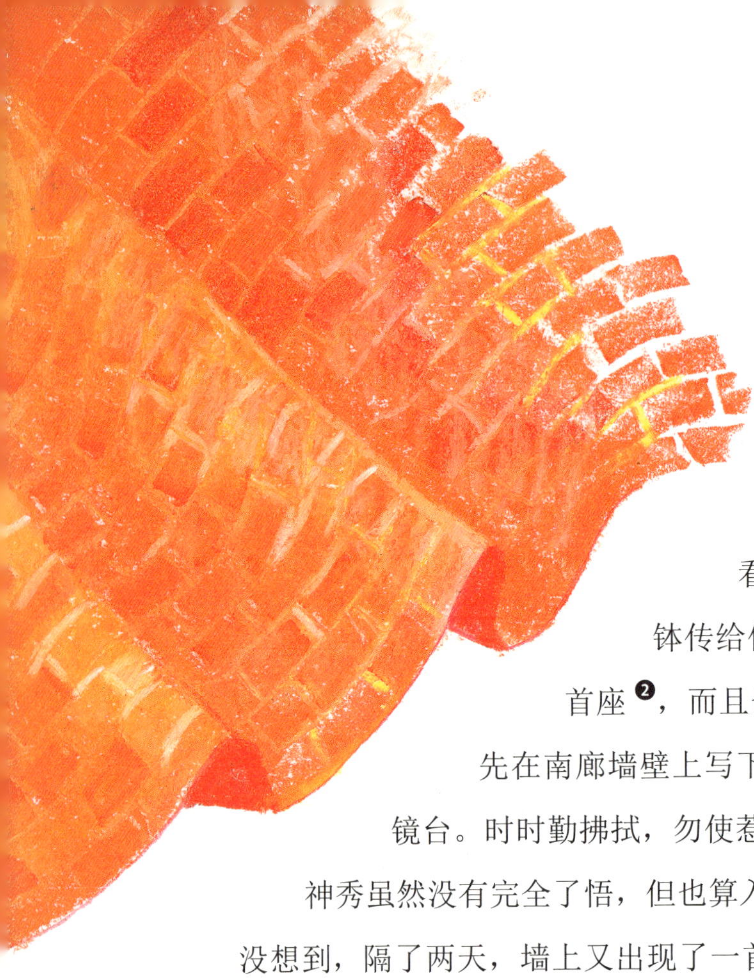

过了八个月后，有一天，五祖传唤所有门人，要他们各自凭智慧，写一首偈子，看谁能了悟本性，就把衣钵传给他。当时神秀是僧团中的首座[2]，而且也颇得人心，因此，他率先在南廊墙壁上写下：“身是菩提树，心如明镜台。时时勤拂拭，勿使惹尘埃。”五祖一看，知道神秀虽然没有完全了悟，但也算入了门。

没想到，隔了两天，墙上又出现了一首佛偈：“菩提本无树，明镜亦非台。本来无一物，何处惹尘埃！”原来是不识字的惠能请人代写的。

五祖心中大惊，兴奋得有种“找到了”的感觉，但是弟子们最近为了师父究竟要传法给谁，闹得有点沸沸扬扬。如果真要传给这位名不见经传的外来小伙子，在这节骨眼上，难保不会引起轩然大波，所以不能当众宣布传衣钵给惠能为好，只匆匆丢了一句：“这也没什么！”

❷ **首座**：即僧团大众之首的意思，必是由德行兼备的和尚担当。

隔天一大早，五祖却悄悄地跑到磨房里，只见惠能已经腰部绑着石头在舂米了，五祖什么话也没说，只用木杖敲了三下，意思是要惠能半夜三更去见他。

当天晚上惠能依约前往，五祖用袈裟将窗户围起来，为他讲说《金刚经》。惠能当场了悟此经的真义。随后五祖把衣钵传给惠能，嘱咐他说：“你已经是禅宗第六代传人了，赶紧离开这里，以免有人来伤害你。”

为了让惠能安全离开，五祖还亲自渡了他一程，等船要靠岸时，再次叮嘱：“以后佛法就靠你传扬了！你努力往南方走，记住，不要很快就对人说法，要被认出来就麻烦了。”

惠能加快脚步往南方疾走，支持神秀的徒众得知衣钵已经传给了惠能，数百人穷追不舍。惠能一路逃到荒野山村，遇见一群猎人正要去森林里打猎。森林里到处是绿色的树木，人迹罕至，正是最好的躲藏之处。惠能便喊住领头的队长：“兄长，能不能让我随行呢？我一个人流浪，不知道往哪里去。”

队长见他朴实敦厚的模样，便爽快答应了：“那好吧！你就帮忙砍柴、煮饭，做些杂务，这样我们也好专心打猎。”

从此，惠能便跟着猎人们徘徊在群山之间，只是猎人们叫他守着捕动物的网时，每次他都把落网的猎物给放了。

“奇怪哩！这阵子动物们都变聪明了，怎么陷阱里连一只虫也没逮到？”猎人们看着空荡荡的陷阱，满脸疑惑，连连摇头！

几次之后，惠能不忍心猎人们为此苦恼，只好坦诚以告：“对不起，是我放的。”所有猎人们都把眼睛瞪得大大的看着惠能。

“各位大哥，请听我说，所有动物都是有灵性的，对于死亡也会产生恐惧。我们虽然是猎人，为了生计，必须猎杀它们，但是与大自然为伍的人们，应该更懂得敬爱大自然，如果我们不过度滥捕，并放走幼小和怀孕的动物，只取我们日常所需，我相信大自然也会回报我们的心意的。”

猎人们从未听过这么慈悲的说法，他们的心盈满了对大自然的敬意。而且经惠能这么一说，才想到他每次吃饭时，都只吃锅边的青菜，从不吃打猎获得的肉。猎人们受到他的感化，也懂得不再滥捕滥杀了。

物换星移，秋天的枫叶仿佛在一夕之间转为金黄色，惠能掐指一算，这样沉潜漂泊的日子，竟已过去十五年了："弘法的时刻到了，不可以永远藏起来。"于是，他告别了猎人队，展开了另一段大放光芒的弘法旅程。

不管是开悟之前八个多月的砍柴、舂米，还是开悟之后十五年的藏身猎人队，超乎常人的忍耐力与自制力，都是惠能心性通过考验的明证，这也是独具特质的大修行人才能达到的境界。

开路先锋改革家

大师密码 Far-reaching 影响深远

太虚大师是个“先锋型”的改革派人物，以威猛的炮声震醒了民国初年的佛教。他十九岁出家后，深受西方新思潮的启发，希望能以佛教救世，全面革新佛教。但因为太过年轻气盛、前卫激进，满腔热血未得到大家的支持，太虚大师只好到普陀山闭关沉淀。深切的反省，加上努力读经，让他在修行上有了很大的进步。

出关后，太虚像大鹏展翅般飞向了世界，他应邀到世界各国弘法，成为最早到欧美传播佛法的中国法师。他还创办了新式佛学院，培养僧才，被视为佛教救星。

虽然他的理想一时无法实现，但他所点燃的改革火花，提出“人生佛教”的思想却影响深远，进而开创出现代“人间佛教”的繁荣景象。

小档案 太虚

- 国籍：中国
- 尊称：民国佛教界盟主
- 专长：佛学研究
- 影响：积极复兴与改革佛教
- 事迹：建立人生佛教，为人间佛教领航人

一盏灯摇晃着熄灭了，天黑了！外婆将灯取下，添上油，点上火，一时间四方通明，小孩儿的心也被照亮了！

他心想："一盏小小的灯竟有这么大的影响力，可以让人心变温暖，如果是更大的灯，不是影响更深远吗？"

于是，他睁大眼睛对外婆说："我长大以后，要变成一盏大灯。"

小孩儿长大后，果然成为了一个有为的青年和尚——太虚。

这时清朝已经没落，为了迎接民国新时代的来临，热血沸腾的太虚，把他一盏灯的心愿化为"以佛法救世"的想法，积极奔走于佛教的改革运动。

在毗庐寺的禅房内，太虚和几位法师热烈地讨论着。

“时代已经变迁了，佛教不能再照原来的样子走下去，现在的出家人根本不是在修行，而是专为死人超度的诵经团。让我们通过创立‘中国佛教协进会’，一起来改造中国佛教吧。”太虚侃侃而谈，赢得了大家的赞同。

但一心想为中国佛教塑造新气象的太虚，却没想到曾一起筹划协进会的仁山法师，在镇江金山寺成立大会上因发言过度激烈，由此引发了佛教界新旧两派激烈的冲突，佛教协进会便不了了之了。

“太虚，你过来帮师父的忙，我想组织‘中国佛教总会’，把佛教的规章重新制定一番，以改善目前寺产被私人占据的歪风。”太虚在天童寺受戒时所追随的师父八指头陀，邀他一起参与“中国佛教总会”的组建，太虚欣然同意了。

可是当上大总统的袁世凯对这项计划却迟迟没有批准，八指头陀只好亲自到北京请愿，可能因为太过激动的关系，不幸意外猝死。消息传来，整个佛教界一片哀伤。悲恸万分的太虚，为了完成先师的遗命，在上海静安寺八指头陀的追悼大会上，特别提出了佛教三大革命❶。

“各位，我们一定要恢复佛教利人利己的精神，改进父子相传一类的不良僧团制度，让佛寺财产不被私人占据，而是拿来建学校、盖医院、救济贫穷。”

太虚这一番慷慨激昂的演说，总算让袁世凯有所退让，令他同意中国佛教总会的成立，而这也是后来太虚所提倡的“人生佛教❷”的开端。只可惜，由于经费短缺，成立不到一年的中国佛教总会最终面临着瓦解。

❶ **佛教三大革命**：指“教理革命、教制革命、教产革命”三大革命。

❷ **人生佛教**：为太虚大师的重要主张，认为佛法不离开人间，要以人为本位，大师所说的“仰止唯佛陀，完成在人格，人成即佛成，是名真现实”四句名言可为“人生佛教”生动的诠释，影响深远，是现代佛教的基石。

连续的挫折使太虚对佛教前途感到悲观而消沉度日，但师父八指头陀过去的勉励犹在耳边：“天将降大任于斯人也，必先苦其心志，劳其筋骨……”

太虚深深地自我反省：“佛教一天不改革，就有灭教的危险。我不能因为改革失败的一点儿挫折，就失去了改革的心愿。我应该找个清净的地方，再深入进行佛法的研究，找出更合适的方法。”

以前一起在西方寺阅藏的好友昱山法师正好在普陀山❸闭关❹清修，他大方地说："你可以来我之前闭关的关房闭关啊！"了余法师也盛情地邀请他。友人们的支持成为他重新出发的力量。于是，太虚带着十多箱书籍行李，来到普陀山闭关。

幽静的普陀山闭关时光，让太虚的内心平静下来，仔细检讨过去改革的做法，那时或许太过激进了。他博览群书，将以前精研的佛学，重新融会贯通，着手写下一部关于僧团制度合理的改革方案。有一晚，晚钟敲响，正在打坐的太虚沉入一片宁静，得到开悟的喜悦。

❸ **普陀山**：观世音菩萨的圣地，位于浙江舟山群岛的东部。与五台山、峨眉山、九华山，并称中国佛教四大名山。

❹ **闭关**：闭门谢客，择定一室为关房，隐居修行。闭关期间不能离开关房，期限可为数月，也可数年。闭关的人依修行目标不同，或阅读经藏研究佛法，或专修法门。

转眼间两年半过去了，出关后，二十九岁的太虚开始留起胡子，看起来更加稳重成熟。他应邀去台湾演讲，后又到日本进行佛教交流。回国后，太虚依然全心投入佛教的改革事业，只是不再以改革传统佛教为口号，而是呼吁年轻僧侣共同建立清净的僧团。当时中国正在兴起一股反宗教、反迷信的社会运动，为捍卫佛教，太虚知道佛教必须进一步关怀社会，而不是闭门自求解脱。

“太虚师父，不如我们来成立一个佛学团体，将您所主张的‘以佛法救世’的观念宣扬出去吧！”

在热心信徒的建议下，觉社很快成立了，该社主要以出版书籍、编辑刊物、演讲佛学和实际修行为主。通过不断的演讲，以及报章杂志、电台的传播，社会上已经有愈来愈多的人了解太虚佛教改革的理想，同时，太虚还创办了许多社会福利事业。

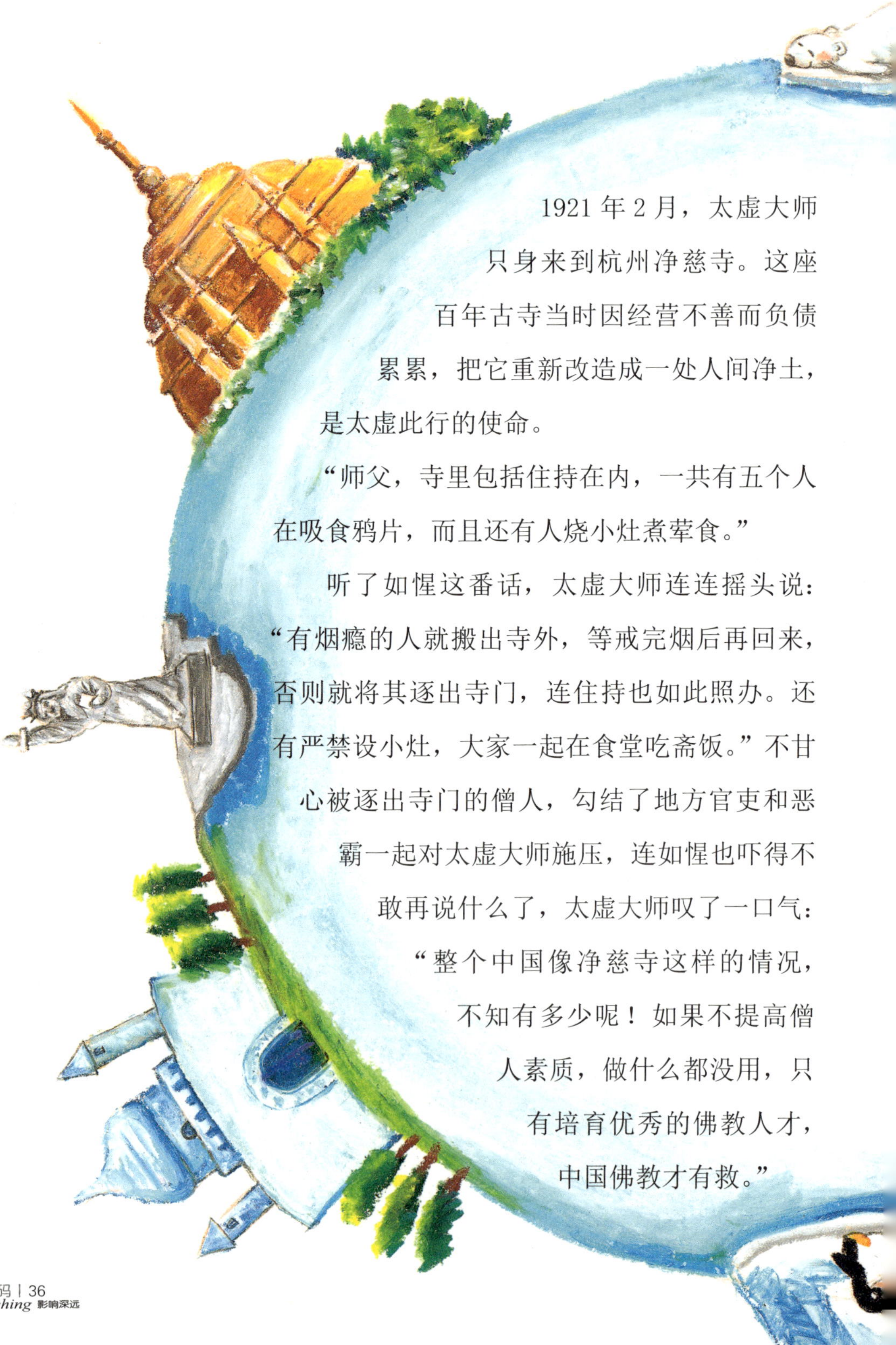

1921年2月，太虚大师只身来到杭州净慈寺。这座百年古寺当时因经营不善而负债累累，把它重新改造成一处人间净土，是太虚此行的使命。

“师父，寺里包括住持在内，一共有五个人在吸食鸦片，而且还有人烧小灶煮荤食。”

听了如惺这番话，太虚大师连连摇头说：“有烟瘾的人就搬出寺外，等戒完烟后再回来，否则就将其逐出寺门，连住持也如此照办。还有严禁设小灶，大家一起在食堂吃斋饭。”不甘心被逐出寺门的僧人，勾结了地方官吏和恶霸一起对太虚大师施压，连如惺也吓得不敢再说什么了，太虚大师叹了一口气：“整个中国像净慈寺这样的情况，不知有多少呢！如果不提高僧人素质，做什么都没用，只有培育优秀的佛教人才，中国佛教才有救。”

后来他决定在武汉创办武昌佛学院，这也是中国近代第一所佛学院，影响很大。甚至全国各地佛教单位都跟着办起学院。持续办学之外，太虚大师更致力于世界化的佛教交流活动，发起了世界佛教联合会，后游历欧、美、日等国家。抗日战争期间，太虚大师不仅发文谴责日军，还号召全国僧众一起反抗日本军国主义，出访缅甸、印度宣扬和平，争取国际支持。

“所谓人生佛教，就是好好做人，然后才能成佛。最重要是将建立人间净土作为今后努力的方向。”1944年，五十六岁的太虚患了轻度中风。在病中，他还编写了一生中对于中国佛教改革的总结。

尽管太虚大师生前关于“人生佛教”没有完全落实，不过他播下的种子，已在现代的佛教界开花结果。一生投入改革理想、未曾消停的太虚，就像一盏明灯，照亮了中国近代佛教的前路。

连石头都点头

大师密码 Foresighted 远见

古今中外很多先知先觉，都是生前寂寞，死后才受到肯定。说起来，东晋的道生法师算是幸运多了，最初他因坚信“再坏的坏人都有佛性”，被视为异类分子并遭到大家的排斥，但最后还是“大翻案”，他的远见得到认可。

道生从小就有过目不忘的本领，才十五岁的他，就已经开始说法了。他的讲座总是深受欢迎，座无虚席。但他并不自满，反而不远千里来到长安，追随中国佛教四大译经名家之一的鸠摩罗什虚心地学习。可惜道生所主张的佛学思想，不为当时人采信，他只好隐居起来，在深山里对着石头说法。

但正因为道生的坚持，他所提倡的一些思想，才能影响深远，成为中国佛教的思想轴心。

小档案 道生

- 国籍：中国
- 别称：涅槃圣、生公
- 专长：佛学
- 影响：主张佛性论、顿悟成佛，对后世禅宗产生重大影响
- 事迹：独排众议，认为再坏的坏人都有佛性

秋天把调色盘打翻在苏州的虎丘山，原本翠绿色的峰峦，洒染了金黄橙红等各种颜色。

一名五十多岁的僧人，伫立在风中，目视着就算经过整个冬天也不会枯萎的一片草色，为这迷人的虎丘山色而沉醉。

或许是被丰饶多彩的大自然所感动，他开始搬起一块块石头，铺在前方空旷的地面，脸上一扫之前阴霾的神色，开始笑了起来，看着他精心的杰作：无数矗立在地上的大小石头，仿佛一个个小人儿，仰着脸望着自己。

他席地而坐，对着它们说起话来：“人家说你们是没有灵性的顽石，我却说你们是涅槃[1]寂静的菩萨[2]。谁说你们没有佛性[3]？这吹来的风不就是阵阵佛语吗？你们受佛语的启迪，当然也有佛性。”

石头们静静地站着，仿佛正在专注聆听一般。

“这世间万物都有佛性，就算是本性恶劣到极点、断了善根的大恶人也有佛性。但有些人曲解了佛经，只拘泥于文字的表象，却不深入探讨佛经的真义。”

他在说什么呢？石头们大概也很想知道吧！

[1] **涅槃**：佛教最高的实践目的，达到超越生死轮回、完全觉悟的境界。

[2] **菩萨**：为“菩提萨埵”的略称，意译为“觉有情”，也就是觉悟的有情众生。能上求佛道，下化众生。

[3] **佛性**：佛性是众生本都具有的本性，佛教认为众生皆有佛性，只是被烦恼、执着等遮蔽了。

那是发生在京城建康一次剑拔弩张的激辩场合。

“道生，就算你再有名，读再多佛经，有多了不起的见解，你也不能用你的想法来挑战佛经。”一名法师脸红脖子粗地咆哮着。

另一名法师则激动地跳脚：“是啊！这《泥洹经》[4]明明就说大恶人没有佛性，你却偏偏要说大恶人也有佛性，简直是跟佛经唱反调。”

名叫道生的法师，则义正词严地说道：“连佛陀都一再强调‘一切众生都有清净的佛性，只是被烦恼所遮蔽了’，所以即使是一个大恶人，只要懂得忏悔过错，也一定可以成佛。”

[4]**《泥洹经》**：“泥洹”又名“涅槃”，为熄灭生死轮回后，所获得的精神觉悟境界。此经有多种同本异译本，东晋法显的译本，为最早的中国译本，相当于后来北凉昙无谶所译《大般涅槃经》的前十卷五品，但译文较昙无谶稍略。

几位法师听他这么一说，更是气愤至极："你还拿佛陀的话来狡辩，那佛经又为什么这么说呢？"

道生仍毫不退缩地回答："《泥洹经》的这句经文，一定是译经没有译全，造成的错误解释，绝不是佛陀的本意。"

"好啦！你不用再说了，你走吧！我们佛门没有你这种不把佛经放在眼里的人。"法师们决定将他逐出佛门。

道生离开时，脸上毫无惧色："作为一个学佛者，一定要有明辨真理的智慧。如果我说的是违反经义的话，我甘愿得到重病恶报；如果是和佛法契合，那么当我死时，愿坐在说法的宝座上。"说完便潇洒地扬长而去。

因为这一场激辩，造成了这位名满天下的道生法师被放逐到虎丘荒野的命运。

其实道生从小就非常聪颖，进入佛门以后，更是智慧大开，十五岁时就登上讲座，为人说法，而且还讲得头头是道。连当代的名士和一些有名望的高僧和他辩论，都输给了他。

二十岁时，他听说庐山的慧远大师对于佛经的流布相当重视，所住持的东林寺拥有数目众多的经书，便去庐山幽居了七年，钻研各种佛经，学养更加丰富。后来，他知道鸠摩罗什[5]正在长安准备翻译新的经典后，便北上长安，投到鸠摩罗什门下，熟悉梵文的道生更进一步协助大师进行译经的工作，与道融、僧叡、僧肇合称“什门四杰”。

“真的是这样的意思吗？还是另有更好的解释呢？”每一次译经时，道生都会跟别人做一番详细的讨论。

[5] **鸠摩罗什**：为中国佛教四大译经家之一。生于西域龟兹国，七岁随母出家。博读佛教经论，名闻西域。他在翻译上，一改传统滞文格义的现象，译文优美流畅。

由于他读过的佛经非常多，再加上过人的领悟力，所以能洞察佛经的言外之意。当时传入中国的佛经，大多是用已经流传到西域的经典再翻译过来的。如果只是依字面直接翻译，不管文意正确与否，对于经文所要传达的佛法，仍然不能让人准确无误地理解。

这样译了一段时间后，道生因为和鸠摩罗什门下的僧人坚持按照字面直译的想法不合，只好满怀失望地离开，后定居青园寺。

东晋灭亡后，南朝宋定都建康，宣告南北朝时期正式来临。在建康积极说法期间，道生不改独立思考的精神，后来他研读刚译出的《泥洹经》时，对于经文中所说的“除了大恶人之外，其他的人都有佛性”这一点，感到非常怀疑，认为这应该不是佛陀的意思，进而大胆提出“大恶人也能做佛”的创见，没想到却引发了佛教界守旧派人士猛烈的抨击，一群僧人便把道生赶出了京城。

现在，道生坐在虎丘山的群石面前，又感慨地问：“犯了错的人如果诚心忏悔、发愿修行，当然有成佛的机会。你们说，我所说的是不是契合佛心呢？”

突然间，原先和煦的微风忽转为强劲，“咻”的一阵吹袭而过，地上的石头被风吹得一一头着地，面朝道生倒下，看起来就像是同意道生的看法一样。

看到这些顽石都纷纷点了头，道生不禁心生喜悦地说：“这不就是佛陀给我的答案吗？”

后来，道生再回庐山隐居时，传到中国不久、刚被翻译出来的《涅槃经》❻已经流传开来，在这部佛经中果然提到了“大恶人也有佛性”，与道生的说法不谋而合。当消息传到庐山时，道生高兴得简直说不出话来，许多信众纷纷前来道贺，皈依他的门下。而之前批评道生的僧人，这时总算认同他的先见之明。

❻**《涅槃经》**：北凉昙无谶所译的《大般涅槃经》，又称《北本涅槃经》。内容讲说众生皆有佛性的大乘佛教思想。

南朝宋元嘉十一年（公元434年），冬天地面的积雪已经很厚了。六十三岁的道生在庐山精舍说法，说得珠圆玉润、深入浅出，比起十五岁那年，更多了对佛法的融会贯通与信心。众人倾听着大师随口说出的甚深法理，无不赞叹连连。

正当法会要结束时，一阵风雪从窗外灌入，大师手持的拂尘“咚”地掉落地面。大伙儿一惊，赶紧上前探视。只见道生大师静定在法座上，安详地过世了，正应验了他从前所说的预言。

在道生之前，中国佛教总是墨守成规，不敢对经文提出疑问。从道生以后，众僧终于学会了运用自己的智慧思考研究经文真义，这是道生最伟大的贡献之一。

心中永远有太阳

大师密码　Fair 光明正大

憨山从小就不爱说话和玩耍，爷爷常说他是个木桩。憨山其实一点儿也不傻，早熟的他总是喜欢独自沉思生命问题。十二岁起随着西林法师读书，才两年光景，已能熟背多种经论。

曾有人问他："你爱做官，还是爱做佛？"他不假思索地说："爱做佛。"十九岁时，他果真放弃仕途，请西林法师为他剃度出家，开始他波澜壮阔的修行路。

他和同为明代四大高僧之一的紫柏大师成为挚友，两人虽然都因命运多舛被诬告入狱，却不改风骨，相互勉励。憨山一向不怕得罪权贵，即便已被充军，仍努力拯救灾民，还以犯人服装登座说法，开创了当地学佛的风气，后来因为重建中国禅宗祖庭曹溪，被称为曹溪中兴祖师。

小档案　憨山

- 国籍：中国
- 尊称：明代四大高僧之一
- 专长：禅修、念佛、书法
- 影响：主张禅宗与华严宗融合，佛、道、儒三教合一
- 事迹：在曹溪建寺，不接受贿赂、不惧怕流言

憨山，原本是五台山一座山峰的名字。有一天，从江南来了一位和尚，一看到这座山峰遗世独立的简朴之美，便为自己取名为“憨山”。

这位憨山和尚，是一位憨厚实在、与世无争的人，所以自称“憨山”再适合不过。

五台山清凉的自然风光，不管是夏日流泉抑或寒冬冷雪，都是憨山最喜欢的境界。他觉得愈是艰难的环境，愈能磨炼自己的心性。后来他在这里常住下来，在佛法上的进步更是突飞猛进。

当时，明神宗一直没有孩子，皇太后非常心急。正值憨山在五台山举办一场法会[1]，得知太后的忧虑后，他直率地提出："出家人所做的一切佛事，都是为了国家和老百姓的幸福安康，而皇嗣也关系着国家和人民的未来，法会应该可以一起为皇帝祈求子嗣。"

果然，法会圆满结束后，即传来皇子诞生的好消息，憨山因此声名大震而招人嫉妒，引来巴结权贵的流言攻击，他干脆跑到东海的崂山隐居起来。为了奖赏憨山祈求皇嗣的功劳，皇太后还是派人寻到了崂山。憨山一再婉拒恩赐，可是，太后仍然坚持要内使送去三千两黄金为他修建殿宇，最后怕内使回去交不了差，憨山灵机一动："现在山东地区正在闹饥荒，不如用这些钱救济灾民，以广播太后的慈心仁爱。"

[1] **法会**：又称法事、佛事。是一种佛教仪式，为说法、供佛、施僧所举行的集会。

憨山把三千两黄金全数捐给灾民，太后因此大受感动。之后神宗要将十五部藏经送给天下名山，太后特别将其中一部送到崂山，另出资修建安置藏经的海印寺。然而，这些美意却也为憨山种下了日后的灾难。

原来神宗向来信仰道教，这段时间又和太后发生了一些误会，便迁怒于憨山，说他侵占国家库银，下令将其逮捕。憨山听到这个消息后，内心却十分平静：“我来东海教化十三年了，现在连三岁孩童都知道念佛，就算我死了也没有遗憾。”憨山在牢里被关了两百多天，经过查证后，证实他并没有收受贿赂，但还是以“未经皇帝许可私自建寺”这莫须有的理由，把他流放到雷州充军。

被流放前，憨山曾经的侍者专程赶了三千里路，来陪他一起到雷州充军。在船上，侍者问起被关进牢狱的感受，憨山说：“我没有一天不欢喜，所做的任何事都是为了佛法，因此心中坦荡，并不惊怕。”

他们一路南行到达热带的雷州半岛，在海洋的咸味中，还存在着腐臭味，原来此地久旱不雨，除了闹饥荒外，连瘟疫也来凑热闹，以致饿殍遍野、民不聊生。

到了炎热的七月，城外处处是死人，憨山亲自带领众人掩埋数以万计的尸体，以免瘟疫扩散，又为亡者举办盛大的超度法会。仪式结束后，天空忽然下起大雨，一时间暑热全消，大地得到了滋润。憨山还特别劝大家要放生，以素斋来祭祖，慢慢地老百姓也懂得了佛法的道理。

雷州附近的韶州曹溪南华寺，是禅宗六祖惠能传教的发源地，但因时间久远、缺乏管理而产生了许多问题，韶州的府使专程请憨山前去整顿。

只见三门[2]集结着聚赌的各地流氓，一旁林立着酒肉店家，祖山不仅变成了坟场，连寺产也被侵占。这种情况简直玷污了禅宗圣地，令憨山不禁摇头，他只好请求官兵将流氓驱逐，并拆除店铺。

此后，憨山专心在此弘法，创立清规，选择优秀的僧人使其受戒、办学，赎回僧产。短短一年间，南华寺便恢复了曹溪的清净旧貌。

[2] **三门**：为禅宗寺院的正门。象征智慧、慈悲、方便三解脱门。

憨山在曹溪写信给好友紫柏[3]，请他前来，一起重振祖寺。不料紫柏因为写了一封信给朝廷，希望能减免老百姓的矿税，却反遭奸臣挑拨被捕入狱，朝廷要把他处死。紫柏不愿受此冤屈，自己沐浴后，就端坐而逝了。

憨山听到紫柏逝世的消息后，悲伤万分，他不怕受牵连，立刻动身，不远千里赶去为紫柏送葬。两人间的情谊，就像太阳的光辉一般，照耀着对方的心灵。而相约复兴曹溪禅风的宿愿，就交给了憨山大师。

❸ **紫柏**：为中国明末佛教四大高僧之一。一生具有侠义精神，曾与人发起筹刻《嘉兴藏》活动，后被诬告下狱，死于狱中。

明万历三十四年（公元1606年），为了庆贺神宗的长孙诞生，天下大赦，憨山也被释放了。从踏入雷州土地到此刻，已有十年光阴。回首如烟往事，一名弟子特别感谢憨山的教导，憨山回答道：“我没有教你什么啊！所做的这些事都是很平常的。”

弟子回答：“正因为师父觉得做这些事很平常，才让我感到不平常。”

接获释令后，憨山便留在曹溪为弟子们说法，并计划重修大殿。他不但四处化缘，连木材都亲自运送。

有一次，他运木材回来，被强风困在端溪的羚羊峡，经过好一番波折后，总算把木材运到了曹溪。憨山先回寺内想要召集僧人下山搬运木材时，没想到几个奸僧出来造谣说憨山侵吞了寺产，还叫奸商出来作伪证:“没错，憨山把木材的费用多报了，比我卖给他的价钱高出许多。”这引起了众人一阵喧哗。

原来奸商在木材上的价格被憨山压得低低的，没获多少利，而其他的奸僧也无法从中得到好处，两方便串通好一起陷害憨山。让憨山离寺后，他们才可以谎报价钱，从高额的价差中谋取不当的钱财。

被陷害的憨山，并不责怪他们：“佛教救度众生，是要从人心的改变开始，不是把佛寺盖好就可以了！是我太执着于表面了。”

憨山坦然面对众僧的指责，而不发一语，因为他早已看透了世事。

后来奸僧告到了官府，经官府详加查证后，终于还他清白。而憨山还为这些奸僧求情，让他们免于一死。

不久，憨山还是毫不眷恋地辞去了曹溪住持的职务，因他不愿再被权位束缚。

一生坎坷连连的憨山，不管是被迫流放还是惨遭诬陷，总能维持着心中的光明之火，选择面向阳光，在逆境中开创生命，弘扬不被世俗染污的佛法，真是令人敬佩。